발 행│2024년 8월 8일
저 자│정지오
펴낸이│한건희
펴낸곳│주식회사 부크크
출판사등록│2014.07.15.(제2014-16호)
주 소│서울특별시 금천구 가산디지털1로 119 SK트윈타워 A동 305호
전 화│1670-8316
이메일│info@bookk.co.kr

ISBN│979-11-419-0016-8

수줍게 속삭이던 단어들이 점차 커지게 되니
하나의 문장이 되었습니다.

사랑에 목매여버린

눈에 보이지 않는 것은
믿음조차 사치다

의미 없는 것임을
또렷이 나타내니

그 누가 보이지 않는 것에
헌신하겠는가

헌데 우리는 신중함을
잊은 채 보이지 않는 것에 목말라있다

언제부터 우리는 눈에 보이지
않는 것에 맹목적이게 되었는가

낭만

봄은 사랑했다

자신의 화려함을
온통 덮을 수 있는 유일한 시간을

닿지 못해 한이 맺어
영원히 만날 수 없는 낭만을

겨울은 사랑했다

극야로 뒤덮인 세상을
화려하게 만들 수 있는 유일한 시간을

영원히 떨어질 수 없는 낭만을

봄은 알지 못한다

한없이 길게 느껴지는 거리가
자신을 사랑하기 위해서는 멀지 않다는 걸

봄은 평생 모를 것이다

자신이 사랑하는 낭만이
자신을 사랑하고 있다는 사실을

정열

백야로 뒤덮인 설산 위에

온기를 내어 춘기를 부르는 당신

감히 넘볼 수도 미련한 눈으로 우러러볼 수도

마음을 스치는 것조차

눈 안에 담는 것조차 할 수 없는 당신을

당신의 이름을 부르는 순간조차 허락되지 않는다.

죄 많은 나를 깊숙한 곳에 품어

하염없이 멀기만 한 백야를 걷는다.

하얀 눈 위에 남겨진 발자국처럼 조용히

사랑이란 건

난 한평생 당신의 지나가버린
시간 속에 젊음보다는

세상에 일부가 된 모습
밖에 보지 못하였습니다

무수히 많은 시련에 용기를
더했던, 세상에서 가장

커다랗게 보이던 나의 세상은
사실 한없이 작고 앙상합니다

당신의 모든 살을 나에게 붙이고 나니
지나가버린 청춘만이 남겨져 있습니다

넘치다 못해 흘러내렸던 당신의 사랑은
여전히, 영원히 변하지 않나 봅니다

시간

나의 시간이 당신과
닿기 위해 분주히 움직입니다

들킬까 두려워 미묘한 움직임조차 조심스레
행동하지만 눈 안에 담긴 나를 보고 있자니

어느샌가 자정이 되어 온몸에 신호를 보냅니다

뜨겁게 타오르던 종이가 시간이 지나
알아볼 수 없이 작아진 채로 사라져버렸고

선명한 호수에 비치던 얼굴이 사라지니
까마득한 안개로 뒤덮여 더 이상 보지 못합니다

눈앞에 있는 현실이
숨을 쉴 수 없을 정도로 빠르게 들어와

시선 속에서 당신의 모습이 흐려지고
시간이 멈추어 그림자조차 도망가 버립니다

당신이 없는 어둠 속, 고독을 씹으며
숨조차 쉬지 못합니다

영원

영원이란 말을 사랑했던 너에게

오지 않을 사랑을 약속했다

영화

그녀의 이름이 적힌 병실 앞까지 왔다.

이 문을 열면 그녀가 만든 마지막 영화가 시작된다.

사뭇 다른 영화를 감상할 때와는 달리 몸이 무거워 단 한 발자국도 움직일 수가 없다.

영화의 주연이 내키지 않아서, 다른 영화들과는 달리 몸이 무겁기에, 그녀가 만든 마지막 작품이어서와 같은 단순한 이유 때문이 아니다.

나는 이 영화의 결말을 예상할 수 있다.

아니 어쩌면 이 영화의 결말은 모두가 알고 있다.

주연이 아닌 관객으로써의 내가 할 수 있는 일은 그저 영화의 시작을 알리는 것이다.

문을 열자 그녀의 마지막 영화가 시작된다.

눈 한가득 들어올 정도로 작은 병실안엔 그녀의 영화가 되기에 충분히 모든 요소가 들어가 있다.

일정하고 무거운 그녀의 심장이 측정기를 통해 영화를 꾸며주는 ost가 되어 흘러나오고 가운데에는 제일 중요한 주연이 누워있다.

영화가 끝이 나면 관객이 할 행동은 하나다.

문을 열고 나가는 것

영화를 관람하는 관객은 이미 정해진 결말을

바꿀 수 없고 그저 결말에 다 다를 때까지 지
켜 볼수 밖에 없다.

같은 장면만이 반복되는 이 시간 속에서 느끼는 감정은
지루함과 따분함이 아닌 한시라도 긴장감을
놓을 수 없는 두려움이다.

곧 이어 그 두려움은 나를 무력하게 만든다.

내가 할 수 있는 최선은 그저 작고 미세한 것들조차 버리
지 않고 눈 안에 담아내는 것이 전부다.

눈을 감으니 일정한 소리에 맞춰 심장이 울린다.

고요하다 못해 차분하다.

흘러가는 시간이 달라지는 것은 영화의 조연이 되어서인
가, 완전히 몰입한 채 밀려오는 감정을 그대로 느낀다.

그녀의 모든 영화엔 항상 나타나는 관객이 있었다.

마지막까지 자리를 지켜 영화관의 불이 다 꺼진
뒤에야 퇴장하는 사람이었다.

그의 행동은 알 수 없다.
그 관객의 얼굴을 매일 보고 있는 나조차 감히 물어볼 용
기가 나지 않았다.

내가 말을 하려 입을 벌리면 하면 똑같이
입을 벌렸고, 기뻐하는 순간조차 함께 환희를 공유하였
다.

그는 이번에도 영화를 관람하러 왔다.

시작을 알리기 위해서인지 끝을 알리기 위해서인지는 모
른다.

아무것도 할 수 없다는 사실에 처참히 집 밟혀버렸다.

더 이상 결말을 기다릴 수가 없다.

영화를 관람할 용기는 사라지고 두려움은 나를 고개를
숙이게 만든다.

 눈 속에서 흐르는 죄가 너무나도 무겁다.

그녀의 마지막 미소 끝으로 더 이상 아무런 소리가 들리
지 않는다.

영화가 시작한 지 벌써 몇 분 아니 몇 시간이 흐른
지금, 그녀는 표정을 잃어간다.

영화를 장식하던 화려한 ost는 점차 무거워지기 시작하더
니 이내 소리가 미세해진다.

더 이상 나는 이 영화의 조연도 관객도 아닌채
그녀를 바라만 보고 있다.

영화의 클라이맥스가 지나니 영화관을 가득 채우던 ost
는 완전히 소리를 잃었다.

고요하고 삭막해진 공간 속에 선 나의 숨소리만
남아있다.

시간이 지난 병실 안에선 영화의 끝을 알리는
무겁고 불안정한 숨소리와 애열로 가득 찬
ost만이 들려온다.

그는 영화관의 불이 꺼진 뒤에도
그곳을 나올 수 없었다.

소원

작은 웅덩이 속에

당신을 안아
깊숙한 곳으로 이끌고 싶다

가라앉으려나 바다가 될 수 있으려나

너의 모든 것을
담을 수 있는 그릇이 되고 싶다

가득 채울 수 있으려나
넘치지 않게 받을 수 있으려나

진부한 어려움을 포용하는 당신이 되고 싶다

나를 사랑하고 싶다

내가 된 당신에게 사랑을 속삭이고 싶다

계절

5월의 어느날 당신의 미소를 맡으며
나의 모든계절이 당신으로 흘러가기를

저주

짧지만 빠르고
가늘지만 커다란

세상에 존재하는 그 무엇보다 무겁고 아픈
다시는 마음에 새길 수 없는 그런 저주

마지막조차 양보와 배려의
모습은 보이지 않았다

오로지 너 자신을 위한 말

정답이 없는 질문인지 기회를 준
너의 사랑이었는지 아직도 알 수 없다

어쩌면 너라는 저주에 갇혀
내가 원하는 것을 꿈꾸는 걸 수도 있다

이루어지지 않을 걸 알면서도
혹여 잃어버릴까, 소중히 너의 말을 담았다

무겁고 차갑다.

정답을 알기 위해
끝이 없는 길을 향하려 한다

당신 없이는 길을 찾지 못하는 걸 알면서도

바람

당신들의 염원을 듣던 내가

애절하게 흘러가기까지

陳腐

영원을 약속하던 연인들

행복을 바라는 소망들

사랑을 속삭이던 밤하늘의 별

진부하기 짝이 없지만 무엇 하나

버릴 수 없는 낭만들

그 속에서 살아가는 나를 노래하는 애정

변하지 않는 사실

어느 사람은 말한다

세상은 이뿐만 아니라 셀 수 없이 많다고
사랑의 기간은 유한하다고

정말 이뿐만 아닌 다른 세상이 존재한다면

무한한 사실이 있다

많은 세계에 내가 있고
모든 세계의 너를 사랑한다는 사실

7월

7월의 무더운 날

매미도 자신의 사랑을
이토록 애절하게 노래하는데

무엇 그리 두려운지
나는 당신의 이름조차 부르지 못한다

春

한기가 지고
춘기가 피는 계절

사랑이 남발하고
거짓이 난무한 시기

그 중 내가 찾은 너라는
유일한 사실 하나

한 스푼

언제 들어도
질리는 소리가

몇 번을 봐도
변하지 않는 거리가

무엇 하나
진부한 것들뿐인 하루에

고작 너라는 사람 한 스푼 추가하니

언제 들어도
질리지 않는 소리가

몇 번을 봐도
변하는 소리가

무엇 하나
진부하지 않은 것들이 없는 하루로

夏

영원을 약속하는 노을에
사랑을 감싸는 햇빛

애정을 노래하는 숲 사이
먼 구름 담아내는 바다 소리

아름답지 않은 색 하나 없는 낭만에

이상하다

이상하리 만큼 좋은 하루에
항상 새겨져 있는 너

너가 스쳐간 자리

무엇 하나
자신의 흔적 남기기 바삐 하는데

그저 스쳐 지나가기만 했을 뿐인
자리에 평생을 가는

 너라는 흔적

秋

남부러울 것 없는
하늘을 아래에 두고

무(無)로 뒤덮일 세상이
 두렵지 않은 것은

그들이 제일 진한 색이었기에

뒤덮인다 한들
색을 잃지 않는다는 걸 알기 때문에

살아간다는 건

크지 않는 사소함으로 하루를 살아가는 것

매일 같은 하루, 반복적인 일상의 안정을 살아가는 것

살아가게 되는 것

오늘이 변하지 않도록 유지하는 나를 노력하는 것

살아지는건........

　　　살아지는건....　　..

　　　　　사라지는건

　　　　　크지 않은 사소함으로 사랑을 느끼게
　　　　　　　　　되는 것

　　　　　매일 같은 하루, 변칙적인 일상의 기대를
　　　　　　　　사랑하는 것

　　　　　　　사랑받는 것

　　　　　오늘이 영원 하도록 유지하는 당신에게
　　　　　　　사랑을 느끼는 것

모순

어둠에게서 빛을 보는 그림자

겨울 속에서 온기가 느껴지는 사랑

먹구름 속에서 맑아지는 비

더위 속에서 냉기를 깨닫는 눈사람

영원속에서 사실이 되는 거짓

너에게서 느껴지는 사랑

묻고싶다

너를 만나 묻고 싶다

한순간 뜨겁게 티오르던 장작도
결국에는 차디차게 식어 재가 된다

간직하고 싶은 순간에 반짝였던 눈도

결국 시간이 지나면 색을 잃어버리는데

찰나 였던 마음이 왜 이토록 강렬한지

冬

한 해를 정리하는 계절인가
잊어가는 시간인가

'수고했다'라는 말로
위로에 적신 이들을 보아하니

암흑 속에서 색을 애원하는 저들이 보인다

저들이 붉게 물들였던 아름다운 색들은
잊은 채

놓치지 말아야 할 것 들

나는 고흐의 작품을 가장 사랑한다. 그의 작품을 보고 있으면 당장이라도 저 넓은 밤하늘에 떠 있는 별들이 내 눈 안으로 무수히 떨어질 것 만 같다. 그 당시 고흐의 그림은 사람들로부터 눈길을 받지 못하였다 하지만 앞이 보이지 않을 정도로 어둑한 저 밤하늘이 밝은 듯한 희열을 만드는 자가 어디 있을까 색을 만지면 만질수록 진해졌던 것은 그의 사랑이 진해지다 못해 강렬하게 표현됐던 것은 아닐까 사랑이란 감정을 또 다르게 표현할 수 있는 것 인가 그는 흔히 보이는 것들조차 아름답게 보이는 눈을 가지고 있었을까 아니면 사랑하는 그림 앞에서는 고통도 그저 잿더미의 불과하다 여길 수 있는 마음이 있었던 걸까 지금에서야 고흐의 그림이 사람들로부터 이목을 끌게 된 것도, 지금의 사람들이 진부한 것들을 아름답게 볼수 있게 되어서 인가 어쩌면 너무 많은 것을 놓치고 있진 않은가
아름다움을 잊고 살아가는 것은 아닐까
가지각색 으로 바쁘게 살아가고 있는 이들을 잠시 멈추게 할수 있는것 만으로도 그의 그림은 사랑에 가득차 있나 보다. 그 누가 그의 순수한 아름다움을 보고 그저 지나칠수 있을까 그의 진심어린 사랑이 들어있는 마음을..나는 예술가들의 순애를 사랑한다. 그들이 그림을 그리는 시간에는 오로지 사랑만이 가득 했을 테니

세상에서 가장 긴 (   )

꿈을 꾸는 순간은
일어나기 1초 전이라는 이야기가 있다.

길면 길고 짧으면 짧은 꿈이
고작 1초 전의 일이라니

정말 말 그대로 꿈을 꾸는 것 같다.

1초 전임에도 불구하고 이상하게 꿈의 내용은
항상 어정쩡하며 기억이 잘 나지 않는다.

그치만 단 1초의 꿈으로
살아가는 이들이 있다.

꿈 만으로 하루가 결정되는
날들이 있다.

1초, 세상에서 가장 긴 시간

1초 만으로 오늘을 살아가는 나에게
앞으로를 살아가야 하는 이들이

1초가 분이 되고
분이 시가 되길

내 간절함이
1초 안에 담기기를

사랑을 속삭이다

니가 잠든 이 시간

내가 너에게 사랑을 속삭이는 시간

이때가 아니라면 사랑을 이야기 하지 못한다.

내가 너에게 비겁함을 속삭이는 시간

내가 유일하게 거짓을 고하지 않는 시간

사랑 니

불쑥 찾아온 너의 방문은
불쾌하기 짝이 없다

너를 품고 살아가기엔
나를 죄어오는 고통은 견딜 수 없나 보다

그 작은 몸 안에 대체
무엇이 있길래 이렇게나 아픈 건지

네가 다녀간 자리엔
상처만이 가득이기에

이따금 저려올 때가 있다

너도 꼴에 사랑이라고
나를 이렇게나 아프게 하는구나

비에 젖는 줄도 모르고

비가 쏟아지는 이맘쯤이 사랑을 실어 내리는
철 인가 봅니다.창밖에는 모습조차 보이지 않
는 큰 우산들의 행렬만이 보이는데 그 무엇하
나 하늘을 바라보기 보단 바람을 타 이리저
리 움직이는 나무같이 양 옆으로 기울어져 있
습니다.아마 그 속엔 비에젖지 않길 바라는 그
들의 애정이 넘치다 못해 비를 타고 흘러가고
있나 봅니다.온몸에 애정을 적신 그들의 웃음은
눈을 뗄 수 없을 만큼 황홀하고 아름답습니다.
이때만큼은 떨어지는 비가 무겁게 튀어 올라
환한 불꽃이 되고, 떨어지는 낙엽이 축복이 되
어 날리듯 그들만의 배경이 되는 시간입니다.
낭만속에 살아가는 저들이 온몸이 타오르는 듯
한 뜨거운 여름에도, 비가 쏟아지는 장마에도
굳건할 수 있는 것은 온몸을 비에 적시기
위해 우산을 쓰기 때문인가 싶은 날 입니다.

색

백지만이 가득한 세상에

너라는 색이 묻으니

.

환상속에선

환상 속에 살았습니다

그곳은 손쓸 새도 없이 금방 녹아내렸던 것이
다시금 몇 마디 안되는 짧음 말임에도
쉽사리 얼어버리는 곳이었습니다

흘러내리지 않도록 조심해도 워낙 많은 양이기에
다 닦아낼 순 없었습니다

형체는 알아 보기 힘들정도로 녹아내려
사라졌지만 손에 묻은 향기가 금세 스며들어
온몸으로 퍼졌습니다

비록 형태가 사라졌어도
머무른 자리는 향기로 가득 한가 봅니다

완전히 사라지지 않은 탓인지
하다못해 흔적이 남아서인지
달콤한 냄새에 잠식해 숨이 끊어질 것 같았습니다

어찌나 달콤하던지 녹아내렸음에도
이전보다 더욱 달콤해진 것은

환상속에 빠져있기 때문인가 봅니다

멍청한 사람

때론 눈에 보이지
않는 것조차도 품으려 한다

터무니없는 신뢰를 가지고
그것을 품게 되면

멍청한 짓이어었단 걸
그제야 깨닫는다

정답이 없는 문제를
풀려 연필을 드는 것과 같다

얼마나 멍청하면

문제를 풀 수 있을 거라는
기대 속에 갇혀 살고 있다

너를 사랑한다는건

너의 눈 속엔 내가 없다는 걸 알게 돼도
널 사랑하지 않을 이유가 될순 없다

너의 웃음이 날 향하는 게 아니라도
너에게 맹세할 수 있다

너의 '사랑해' 가 내 것이 아니란 걸 알아도
무너지지 않을 수 있다

너로 가득한 내 세상이 이렇게나 아름답다

노을에 적신 나의 낙원이 반짝인다

그럼에도 지독하게 짝이 없는 사실은
숨을 쫓아 끝까지 따라온다

세상에 너뿐이라 애원해도
너의 눈은 날 향하지 않는다

매일 너를 사랑한다 말해도 나뿐으로
갈증이 채워지지 않는다는 걸 안다

너의 웃음이 내게
향하도록 구걸해도

숨을 조여오는 사실이
거짓이었으면 해서 나를 속인다
흘러가는 거짓은 사실을 빙자한 기만이었고,

노을에 불타는 낙원은 처음부터 존재하지 않았다

한가득 모래를 쥐니

당신을 처음 본 여름, 당장이라도
빨갛게 익어 죽어도 이상하지 않을 만큼
더운 날 하늘에 떠 있는 구름조차 다정히 지나가고 있다

귀에 들리는 불규칙한 소리가 일정해질 때
마침내 눈을 뜬다

바다라는 악보 위에 당신이라는 계이름을
올리니 조개와 색을 이룬 모습은 뜨거운 햇빛을
바라볼때 만큼 눈부셔 어찌할 바 모른다

당신에게 향하기 위한 나의 몸짓은
한낱 어리석은 아이의 불과하다
비웃음 당하듯

손에 가득 쥔 모래는 빠져나가기
바빴고 놓치지 않으려 더 많이 움켜질수록
어쩌 사라지는 모래가 더욱 많았다

손에는 한 톨의 모래조차 남아 있지 않았지만
눈이 부실만큼 반짝이고 있었다

사랑을
속
삭
이
다